# ひろがる中国語

木村守・范文玲 著



白帝社

# 発 音 篇

§１：中国語について

§２：母音（１）

§３：母音（２）

§４：子音

§５：二音の組合せ、他

## はじめに……中国語は外国語！

これから学ぶ中国語は、日本人のみなさんにとっては外国語です。

「そんなことあたりまえじゃないか」と思われたかもしれませんが、頭ではわかっていても、実際に中国語の学習がはじまると、ついそのことを忘れてしまいがちです。中国語は、日本語と同じ漢字やローマ字を使っているので学びやすいと思っていると、気がついた時には、何がなんだかわからなくなっていることでしょう。

確かに、中国語の漢字の中には日本語と同じ字体の漢字があります。また、中国語を表記するアルファベットの中にも日本語を表記するアルファベットと同じように読むものもあります。さらには、熟語などでも一見すると中国語と日本語と同じ意味の語のように思われるものもあります。しかし、「似ている」＝「同じではない」ということです。

「中国語を勉強する」ということは、日本語との違いをしっかり学んで身につけることです。「似ているから簡単だ」ではなく、「違っていて面白い」という気持ちで取り組んでほしいと願っています。

## 用語について

みなさんがこれから学ぶ中国語は、共通語（「普通話」）です。このテキストでは、とくに注記のない場合、「中国語」＝「普通話」として進めていきます。また、説明の便宜上、

「中国語を表記するために用いるアルファベット」＝「ピンイン」

「日本語を表記するために用いるアルファベット」＝「ローマ字」

「中国語を表記するために用いる漢字」＝「簡体字」

「日本語を表記するために用いる漢字」＝「常用字」

のように、使っていきますので、ご留意ください。

## ピンインとローマ字

中国語のピンインと、日本語のローマ字は、おなじアルファベットのように見えますが、読み方はかなり違います。それは、中国語の発音と日本語の発音が違うため、それぞれを書きあらわしているアルファベットが担う音も違うからです。

**(1) ローマ字とちがう読み方をするピンイン**

例えば、日本語では「カラス」と「ガラス」は違うことばなので、清音「カ」と濁音「ガ」が区別されていることがわかります。つまり、「カ＝ka 」と「ガ＝ga 」を区別するために、アルファベットの「k」「g」で書き分けています。しかし、中国語では、清音と濁音は区別されず、そのかわりに「有気音」と「無気音」を区別するために「k」と「g」が使われています。つまり、ピンインの「k」「g」と、ローマ字の「k」「g」は同じ発音ではないということがわかると思います。子音のセクションで習いますが、「ピンインと日本語のローマ字とは違う」ということを常に意識して勉強することが、中国語上達の重要なポイントとなります。

**(2) ピンインのつづりにつられて誤った読みをしてしまうもの**

ピンインはつづり方によって独特の発音のしかたをするものがあります。例えば、ピンインで「ian」とつづる音は中国語では「イエン」（正確な発音は、授業でしっかり学んでください）と発音します。しかし、日本語では、「i」＝「イ」、「a」＝「ア」、「n」＝「ン」となりますので、「ian」を「イアン」と読んでしまう間違いが多く見られます。

他にも、「iu」「ui」「un」なども、注意が必要なものです。やはり、授業の説明をよく聞いてしっかりと身につけてください。

**(3) 日本語にない音のピンイン**

日本語に存在しない音もピンインでは表記されています。中国語に存在する音なので、当然のことなのですが。例えば、「zh」「ch」「sh」「r」などです。これらの音も、日本語のローマ字のように、無理矢理に想像で読もうとせず、授業でしっかり発音を確認してください。

## 中国語の発音のポイント

日本語の 50 音表に相当する、中国語音節表（6ページ）をみると、中国語の母音は 35 個、子音は 21 個あります。単純に計算すると 735 個の音になりますが、すべての母音と子音との組合せが存在するわけではないので、実際には 370 個ほどです。またそれぞれに 4 声がありますので、全体でおよそ 1500 個近くの音になります。

日本語の 50 音に比べてかなり多いように思われますが、日本語は 1 文字で意味をもつ言葉は少なく、ほとんどが 2 音以上で意味を持つことを考えると、単純に 50 × 50 ＝ 2500 個もの語を覚える必要があります。それに対して、中国語は 1 音 1 音がすでに意味を持っている語になりますので、語単位で考えると日本語より少ないと考えることもできます。

# §1 中国語について……

**(1) 中国語の a o e u ü i ……**

日本語の母音に似た単母音や、２つ以上の母音でできた複母音があります。単母音の中では、特に e や ü など、日本語にない母音の発音に注意しましょう。

**(2) 中国語の an や ang** ……中国語には -n になる音と -ng になる音があります。とても区別が難しい音です。どちらも「アン」と聞こえます。しかし、この音は両方とも日本語の発音の中にあります。つまり、an や ang も「アン」とは表記しますが、話すときは言い分けているのです。例えば､「案内」「案外」は､「アンナイ」「アンガイ」と表記しますが､「アンナイ」の「ン」と「アンガイ」の「ン」は、同じ「ン」でも発音のしかたが違うことがわかりますか。詳しくは、授業での説明をよく聞いてください。

**(3) 複母音について**

２つまたは３つの母音を組み合わせて発音するのが複母音です。複母音を発音するときは、それぞれの母音を同じ強さ、同じ長さで発音するのではなく、主となる母音を強く長く発音します。そして強く長く発音するほうに声調符号がつきます。ですから､複母音を発音するときは、声調符号がついている音をしっかりと発音するように心がけましょう。

**(4) 声調符号の位置とつけかた**

声調は次のルールにしたがってつけます。

① "a" があれば、必ず "**a**" につける。
② "a" がなければ、"**o**" か "**e**" につける。( "o" と "e" が同時に現れることはありません。)
③ "a"、"o"、"e" がなければ、"**u**"" **i** " かにつける。
④ "ui "、"iu " の場合は、後ろにつける。(例) **uī iū**
⑤ " i " につけるときは、" i " の上の点をとってつける。(例) **ī í ǐ ì**

**(5) 子音の有気音と無気音について**

有気音、無気音とは、発音するときに、音といっしょに「気」を出すか出さないかということです。「気」というのは､「息」のことです。発声と同時に息を吐き出せば「有気音」となり、息を吐き出さなければ「無気音」になります。

ピンインとローマ字のところでも少し説明しましたが、日本語の「清音」「濁音」の違いのように、中国語の「有気音」「無気音」は、ことばの意味を決定づける大切な違いです。ですから、実際にどのようにして「有気音」「無気音」を発音するのか、その出しかた、聞こえかたなどを、授業でしっかり説明を聞いて必ず身につけてください。

## 四声

中国語の発音の第１のポイントは四声です。その名の通り４つの声調のことです。中国語の１音１音は、日本語と違い声調をもっています。声調のイメージは以下の通りです。

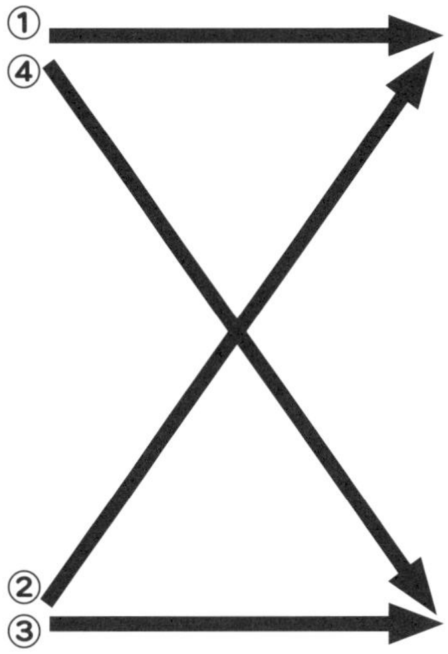


第１声は、高くのびる音。
第２声は、高く上がっていく音。
第３声は、低い音。
第４声は、下がる音。

声調の高さは、人それぞれ異なりますので、自分の音域をフル活用してください。第１声はできるだけ高く、第３声はできるだけ低くすることがポイントです。第１声と第３声の高低差の幅で、第２声と第４声の出しやすさが変わってきます。

想像してみてください。

第１声と第３声の高低差がほとんどなかった場合、左図のように、どの音が第何声なのかほとんど区別がつかなくなります。

好ましくない例

それでは、発音練習を始めましょう。

| | 第１声 | 第２声 | 第３声 | 第４声 |
|---|---|---|---|---|
| yi | yī | yí | yǐ | yì |

# § 中国語音節表……

| | a | o | e | er | ai | ei | ao | ou | an | en | ang | eng | i | ia | ie | iao | iu (iou) |
|---|---|---|---|---|---|---|---|---|---|---|---|---|---|---|---|---|---|
| | a | o | e | er | ai | ei | ao | ou | an | en | ang | eng | yi | ya | ye | yao | you |
| b | ba | bo | | | bai | bei | bao | | ban | ben | bang | beng | bi | | bie | biao | |
| p | pa | po | | | pai | pei | pao | pou | pan | pen | pang | peng | pi | | pie | piao | |
| m | ma | mo | me | | mai | mei | mao | mou | man | men | mang | meng | mi | | mie | miao | miu |
| f | fa | fo | | | | fei | | fou | fan | fen | fang | feng | | | | | |
| d | da | | de | | dai | dei | dao | dou | dan | den | dang | deng | di | dia | die | diao | diu |
| t | ta | | te | | tai | | tao | tou | tan | | tang | teng | ti | | tie | tiao | |
| n | na | | ne | | nai | nei | nao | nou | nan | nen | nang | neng | ni | | nie | niao | niu |
| l | la | lo | le | | lai | lei | lao | lou | lan | | lang | leng | li | lia | lie | liao | liu |
| g | ga | | ge | | gai | gei | gao | gou | gan | gen | gang | geng | | | | | |
| k | ka | | ke | | kai | kei | kao | kou | kan | ken | kang | keng | | | | | |
| h | ha | | he | | hai | hei | hao | hou | han | hen | hang | heng | | | | | |
| j | | | | | | | | | | | | | ji | jia | jie | jiao | jiu |
| q | | | | | | | | | | | | | qi | qia | qie | qiao | qiu |
| x | | | | | | | | | | | | | xi | xia | xie | xiao | xiu |
| zh | zha | | zhe | | zhai | zhei | zhao | zhou | zhan | zhen | zhang | zheng | zhi | | | | |
| ch | cha | | che | | chai | | chao | chou | chan | chen | chang | cheng | chi | | | | |
| sh | sha | | she | | shai | shei | shao | shou | shan | shen | shang | sheng | shi | | | | |
| r | | | re | | | | rao | rou | ran | ren | rang | reng | ri | | | | |
| z | za | | ze | | zai | zei | zao | zou | zan | zen | zang | zeng | zi | | | | |
| c | ca | | ce | | cai | | cao | cou | can | cen | cang | ceng | ci | | | | |
| s | sa | | se | | sai | | sao | sou | san | sen | sang | seng | si | | | | |

https://hirogaru.net/

| ian | iang | in | ing | u | ua | uo | uai | ui (uei) | uan | un (uen) | uang | ong (ueng) | ü | üe | ün | üan | iong (üeng) |
|---|---|---|---|---|---|---|---|---|---|---|---|---|---|---|---|---|---|
| **yan** | **yang** | **yin** | **ying** | **wu** | **wa** | **wo** | **wai** | **wei** | **wan** | **wen** | **wang** | **weng** | **yu** | **yue** | **yun** | **yuan** | **yong** |
| bian | | bin | bing | bu | | | | | | | | | | | | | |
| pian | | pin | ping | pu | | | | | | | | | | | | | |
| mian | | min | ming | mu | | | | | | | | | | | | | |
| | | | | fu | | | | | | | | | | | | | |
| dian | | | ding | du | | duo | | dui | duan | dun | | dong | | | | | |
| tian | | | ting | tu | | tuo | | tui | tuan | tun | | tong | | | | | |
| nian | niang | nin | ning | nu | | nuo | | | nuan | | | nong | nü | nüe | | | |
| lian | liang | lin | ling | lu | | luo | | | luan | lun | | long | lü | lüe | | | |
| | | | | gu | gua | guo | guai | gui | guan | gun | guang | gong | | | | | |
| | | | | ku | kua | kuo | kuai | kui | kuan | kun | kuang | kong | | | | | |
| | | | | hu | hua | huo | huai | hui | huan | hun | huang | hong | | | | | |
| jian | jiang | jin | jing | | | | | | | | | | ju | jue | jun | juan | jiong |
| qian | qiang | qin | qing | | | | | | | | | | qu | que | qun | quan | qiong |
| xian | xiang | xin | xing | | | | | | | | | | xu | xue | xun | xuan | xiong |
| | | | | zhu | zhua | zhuo | zhuai | zhui | zhuan | zhun | zhuang | zhong | | | | | |
| | | | | chu | chua | chuo | chuai | chui | chuan | chun | chuang | chong | | | | | |
| | | | | shu | shua | shuo | shuai | shui | shuan | shun | shuang | | | | | | |
| | | | | ru | rua | ruo | | rui | ruan | run | | rong | | | | | |
| | | | | zu | | zuo | | zui | zuan | zun | | zong | | | | | |
| | | | | cu | | cuo | | cui | cuan | cun | | cong | | | | | |
| | | | | su | | suo | | sui | suan | sun | | song | | | | | |

## 1. 単母音（a o e u ü i er）

| a | 第１声 | 第２声 | 第３声 | 第４声 |
| --- | --- | --- | --- | --- |
| | ā | á | ǎ | à |

| o | 第１声 | 第２声 | 第３声 | 第４声 |
| --- | --- | --- | --- | --- |
| | ō | ó | ǒ | ò |

| e | 第１声 | 第２声 | 第３声 | 第４声 |
| --- | --- | --- | --- | --- |
| | ē | é | ě | è |
| ê | -ei , -ie , -uei(-ui) , -üe(-ue) のときの e | | | |

| u | 第１声 | 第２声 | 第３声 | 第４声 |
| --- | --- | --- | --- | --- |
| | wū | wú | wǔ | wù |
| 子音＋（j q x 以外） | -ū | -ú | -ǔ | -ù |

| | 第 1 声 | 第 2 声 | 第 3 声 | 第 4 声 |
|---|---|---|---|---|
| ü | yū | yú | yǔ | yù |
| ( n- l- ) | -ǖ | -ǘ | -ǚ | -ǜ |
| ( j- q- x- ) | -ū | -ú | -ǔ | -ù |

| | 第 1 声 | 第 2 声 | 第 3 声 | 第 4 声 |
|---|---|---|---|---|
| i | yī | yí | yǐ | yì |
| 子音＋ | -ī | -í | -ǐ | -ì |

| | 第 1 声 | 第 2 声 | 第 3 声 | 第 4 声 |
|---|---|---|---|---|
| (zi , ci , si ) | -ī | -í | -ǐ | -ì |

| | 第 1 声 | 第 2 声 | 第 3 声 | 第 4 声 |
|---|---|---|---|---|
| er | ēr | ér | ěr | èr |

## 2．複母音（ai ei ao ou an ang en eng）

**ai**

| 第 1 声 | 第 2 声 | 第 3 声 | 第 4 声 |
|---|---|---|---|
| āi | ái | ǎi | ài |

**ei**

| 第 1 声 | 第 2 声 | 第 3 声 | 第 4 声 |
|---|---|---|---|
| ēi | éi | ěi | èi |

**ao**

| 第 1 声 | 第 2 声 | 第 3 声 | 第 4 声 |
|---|---|---|---|
| āo | áo | ǎo | ào |

**ou**

| 第 1 声 | 第 2 声 | 第 3 声 | 第 4 声 |
|---|---|---|---|
| ōu | óu | ǒu | òu |

**an**

| 第 1 声 | 第 2 声 | 第 3 声 | 第 4 声 |
|---|---|---|---|
| ān | án | ǎn | àn |

**ang**

| 第 1 声 | 第 2 声 | 第 3 声 | 第 4 声 |
|---|---|---|---|
| āng | áng | ǎng | àng |

**en**

| 第 1 声 | 第 2 声 | 第 3 声 | 第 4 声 |
|---|---|---|---|
| ēn | én | ěn | èn |

**eng**

| 第 1 声 | 第 2 声 | 第 3 声 | 第 4 声 |
|---|---|---|---|
| ēng | éng | ěng | èng |

## ３．複母音（ia ie iao iou ian iang in ing）

| | 第１声 | 第２声 | 第３声 | 第４声 |
|---|---|---|---|---|
| ia | yā | yá | yǎ | yà |
| 子音＋ | -iā | -iá | -iǎ | -ià |

| | 第１声 | 第２声 | 第３声 | 第４声 |
|---|---|---|---|---|
| ie | yē | yé | yě | yè |
| 子音＋ | -iē | -ié | -iě | -iè |

| | 第１声 | 第２声 | 第３声 | 第４声 |
|---|---|---|---|---|
| iao | yāo | yáo | yǎo | yào |
| 子音＋ | -iāo | -iáo | -iǎo | -iào |

| | 第１声 | 第２声 | 第３声 | 第４声 |
|---|---|---|---|---|
| iou | yōu | yóu | yǒu | yòu |
| 子音＋ | -iū | -iú | -iǔ | -iù |

| | 第1声 | 第2声 | 第3声 | 第4声 |
|---|---|---|---|---|
| ian | yān | yán | yǎn | yàn |
| 子音＋ | -iān | -ián | -iǎn | -iàn |

| | 第1声 | 第2声 | 第3声 | 第4声 |
|---|---|---|---|---|
| iang | yāng | yáng | yǎng | yàng |
| 子音＋ | -iāng | -iáng | -iǎng | -iàng |

| | 第1声 | 第2声 | 第3声 | 第4声 |
|---|---|---|---|---|
| in | yīn | yín | yǐn | yìn |
| 子音＋ | -īn | -ín | -ǐn | -ìn |

| | 第1声 | 第2声 | 第3声 | 第4声 |
|---|---|---|---|---|
| ing | yīng | yíng | yǐng | yìng |
| 子音＋ | -īng | -íng | -ǐng | -ìng |

## 4．複母音（ua uo uai uei uan uang uen ueng）

| | 第 1 声 | 第 2 声 | 第 3 声 | 第 4 声 |
|---|---|---|---|---|
| ua | wā | wá | wǎ | wà |
| 子音＋ | -uā | -uá | -uǎ | -uà |

| | 第 1 声 | 第 2 声 | 第 3 声 | 第 4 声 |
|---|---|---|---|---|
| uo | wō | wó | wǒ | wò |
| 子音＋ | -uō | -uó | -uǒ | -uò |

| | 第 1 声 | 第 2 声 | 第 3 声 | 第 4 声 |
|---|---|---|---|---|
| uai | wāi | wái | wǎi | wài |
| 子音＋ | -uāi | -uái | -uǎi | -uài |

| | 第 1 声 | 第 2 声 | 第 3 声 | 第 4 声 |
|---|---|---|---|---|
| uei | wēi | wéi | wěi | wèi |
| 子音＋ | -uī | -uí | -uǐ | -uì |

| | 第1声 | 第2声 | 第3声 | 第4声 |
|---|---|---|---|---|
| uan | wān | wán | wǎn | wàn |
| 子音＋ | -uān | -uán | -uǎn | -uàn |

| | 第1声 | 第2声 | 第3声 | 第4声 |
|---|---|---|---|---|
| uang | wāng | wáng | wǎng | wàng |
| 子音＋ | -uāng | -uáng | -uǎng | -uàng |

| | 第1声 | 第2声 | 第3声 | 第4声 |
|---|---|---|---|---|
| uen | wēn | wén | wěn | wèn |
| 子音＋ | -ūn | -ún | -ǔn | -ùn |

| | 第1声 | 第2声 | 第3声 | 第4声 |
|---|---|---|---|---|
| ueng | wēng | wéng | wěng | wèng |
| 子音＋ | -ōng | -óng | -ǒng | -òng |

## 5. 複母音（üe üan ün üeng(iong)）

| | 第1声 | 第2声 | 第3声 | 第4声 |
|---|---|---|---|---|
| üe | yuē | yué | yuě | yuè |
| (n- l-) | -üē | -üé | -üě | -üè |
| (j- q- x-) | -uē | -ué | -uě | -uè |

| | 第1声 | 第2声 | 第3声 | 第4声 |
|---|---|---|---|---|
| üan | yuān | yuán | yuǎn | yuàn |
| (j- q- x-) | -uān | -uán | -uǎn | -uàn |

| | 第1声 | 第2声 | 第3声 | 第4声 |
|---|---|---|---|---|
| ün | yūn | yún | yǔn | yùn |
| (j- q- x-) | -ūn | -ún | -ǔn | -ùn |

| | 第1声 | 第2声 | 第3声 | 第4声 |
|---|---|---|---|---|
| üeng | yōng | yóng | yǒng | yòng |
| (j- q- x-) | -iōng | -ióng | -iǒng | -iòng |

休息一会儿…

## 6. 子音（b p m f, d t n l）

**b**

| | | | |
|---|---|---|---|
| ①bā | ②bù | ③bǎi | ④bēi |
| 八 | 不 | 百 | 杯 |
| ⑤běn | ⑥bàng | ⑦bí | ⑧biàn |
| 本 | 棒 | 鼻 | 便 |

**p**

| | | | |
|---|---|---|---|
| ①pō | ②pái | ③pǎo | ④piào |
| 坡 | 排 | 跑 | 票 |
| ⑤pīng | ⑥pāng | ⑦pí | ⑧piàn |
| 乒 | 乓 | 啤 | 片 |

**m**

| | | | |
|---|---|---|---|
| ①mā | ②mó | ③mǔ | ④mǎi |
| 妈 | 摩 | 母 | 买 |
| ⑤měi | ⑥màn | ⑦miàn | ⑧máng |
| 美 | 慢 | 面 | 忙 |

**f**

| | | | |
|---|---|---|---|
| ①fā | ②fàn | ③fēn | ④fēng |
| 发 | 饭 | 分 | 风 |
| ⑤fēi | ⑥fàng | ⑦fū | ⑧fǒu |
| 飞 | 放 | 夫 | 否 |

## d

| | | | |
|---|---|---|---|
| ①dà<br>大 | ②dì<br>弟 | ③dé<br>德 | ④duì<br>对 |
| ⑤dài<br>带 | ⑥dōng<br>东 | ⑦děng<br>等 | ⑧duō<br>多 |

## t

| | | | |
|---|---|---|---|
| ①tài<br>太 | ②tǐ<br>体 | ③tè<br>特 | ④tuī<br>推 |
| ⑤tiān<br>天 | ⑥tiáo<br>条 | ⑦téng<br>疼 | ⑧tú<br>图 |

## n

| | | | |
|---|---|---|---|
| ①nǎi<br>奶 | ②nǐ<br>你 | ③niǎo<br>鸟 | ④niú<br>牛 |
| ⑤nián<br>年 | ⑥nán<br>难 | ⑦néng<br>能 | ⑧nǚ<br>女 |

## l

| | | | |
|---|---|---|---|
| ①lái<br>来 | ②lì<br>历 | ③liàn<br>练 | ④liù<br>六 |
| ⑤líng<br>零 | ⑥lǎo<br>老 | ⑦lěng<br>冷 | ⑧lǜ<br>绿 |

## 7. 子音（g k h , j q x）

### g

| | | | |
|---|---|---|---|
| ①gāo<br>高 | ②gē<br>哥 | ③gēn<br>跟 | ④gèng<br>更 |
| ⑤gōng<br>公 | ⑥guó<br>国 | ⑦guān<br>关 | ⑧guāng<br>光 |

### k

| | | | |
|---|---|---|---|
| ①kāi<br>开 | ②kàn<br>看 | ③kè<br>课 | ④kōng<br>空 |
| ⑤kǒu<br>口 | ⑥kuài<br>快 | ⑦kuàng<br>矿 | ⑧kū<br>哭 |

### h

| | | | |
|---|---|---|---|
| ①hǎo<br>好 | ②hē<br>喝 | ③hēi<br>黑 | ④hěn<br>很 |
| ⑤hóng<br>红 | ⑥huā<br>花 | ⑦huān<br>欢 | ⑧huáng<br>黄 |

## j

| | | | |
|---|---|---|---|
| ①jī | ②jiān | ③jīn | ④jiě |
| 机 | 间 | 今 | 姐 |
| ⑤jiào | ⑥jiàng | ⑦jiǔ | ⑧jú |
| 叫 | 酱 | 九 | 局 |

## q

| | | | |
|---|---|---|---|
| ①qī | ②qiān | ③qīn | ④qǐng |
| 七 | 千 | 亲 | 请 |
| ⑤qiáo | ⑥quán | ⑦qiū | ⑧qù |
| 桥 | 全 | 秋 | 去 |

## x

| | | | |
|---|---|---|---|
| ①xī | ②xiàn | ③xiè | ④xīng |
| 西 | 线 | 谢 | 星 |
| ⑤xiào | ⑥xióng | ⑦xū | ⑧xué |
| 笑 | 熊 | 需 | 学 |

## 8. 子音（zh ch sh r，z c s）

### zh

| | | | |
|---|---|---|---|
| ①zhàn | ②zhāng | ③zhè | ④zhēn |
| 站 | 张 | 这 | 真 |
| ⑤zhèng | ⑥zhōng | ⑦zhù | ⑧zhuō |
| 正 | 中 | 住 | 桌 |

### ch

| | | | |
|---|---|---|---|
| ①cháng | ②chá | ③chē | ④chī |
| 常 | 茶 | 车 | 吃 |
| ⑤chéng | ⑥chuī | ⑦chuān | ⑧chūn |
| 橙 | 吹 | 川 | 春 |

### sh

| | | | |
|---|---|---|---|
| ①shàng | ②shēng | ③shī | ④shū |
| 上 | 生 | 师 | 书 |
| ⑤shuǐ | ⑥shǒu | ⑦shuō | ⑧shuāng |
| 水 | 手 | 说 | 双 |

### r

| | | | |
|---|---|---|---|
| ①rán | ②ràng | ③rè | ④rén |
| 然 | 让 | 热 | 人 |
| ⑤rì | ⑥ròu | ⑦rú | ⑧ruǎn |
| 日 | 肉 | 如 | 软 |

## z

| | | | |
|---|---|---|---|
| ①zá | ②zài | ③zǎo | ④zì |
| 杂 | 在 | 早 | 字 |
| ⑤zǒu | ⑥zú | ⑦zuì | ⑧zuǒ |
| 走 | 足 | 最 | 左 |

## c

| | | | |
|---|---|---|---|
| ①cài | ②cān | ③cǎo | ④cè |
| 菜 | 餐 | 草 | 厕 |
| ⑤cí | ⑥cóng | ⑦cūn | ⑧cuò |
| 词 | 从 | 村 | 错 |

## s

| | | | |
|---|---|---|---|
| ①sān | ②sè | ③sì | ④sòng |
| 三 | 色 | 四 | 送 |
| ⑤sū | ⑥suàn | ⑦suì | ⑧suǒ |
| 苏 | 蒜 | 岁 | 所 |

## 9. 二音の組合せ

1声＋1声

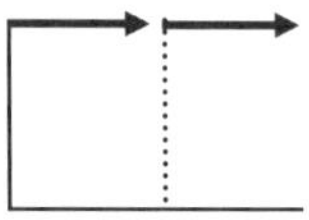

①fēijī 飞机　②xīngqī 星期　③bīngxiāng 冰箱

1声＋2声

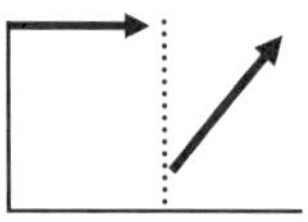

①Zhōngguó 中国　②bāngmáng 帮忙　③kōngtiáo 空调

1声＋3声

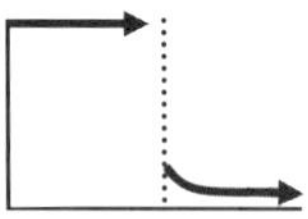

①jīchǎng 机场　②qiānbǐ 铅笔　③hēibǎn 黑板

1声＋4声

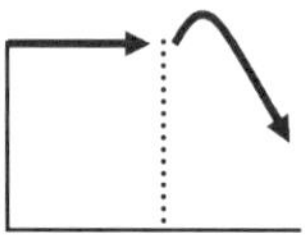

①jīdàn 鸡蛋　②gāoxìng 高兴　③yīnyuè 音乐

2声＋1声

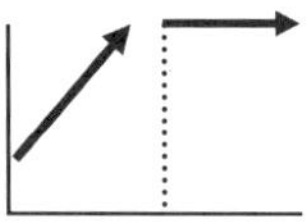

①xióngmāo 熊猫　②míngtiān 明天　③nánshēng 男生

2声＋2声

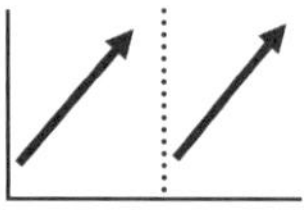

①Chángchéng 长城　②tóngxué 同学　③yínháng 银行

2声＋3声

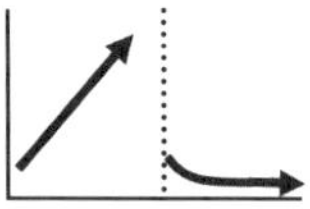

①niúnǎi 牛奶　②píngguǒ 苹果　③yóuyǒng 游泳

2声＋4声

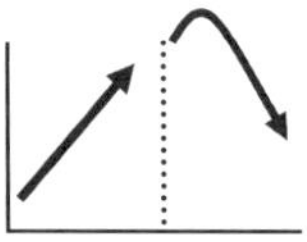

①yánsè 颜色　②jiérì 节日　③fángfèi 房费

3声＋1声

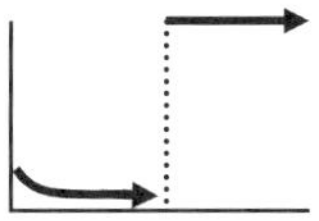

①lǎoshī　老师

②shǒujī　手机

③nǚshēng　女生

3声＋2声

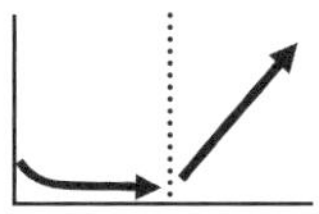

①qǐchuáng　起床

②shuǐpíng　水平

③yǐqián　以前

3声＋3声（→2声＋3声）

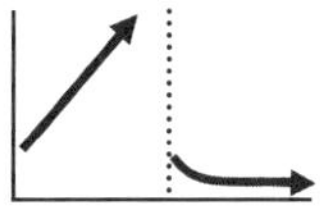

①shuǐguǒ　水果

②yǔsǎn　雨伞

③biǎoyǎn　表演

3声＋4声

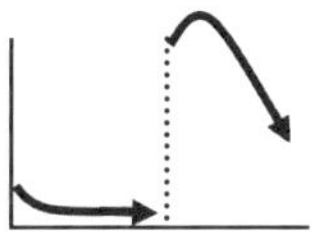

①mǐfàn　米饭

②kě'ài　可爱

③tǐyù　体育

4声＋1声

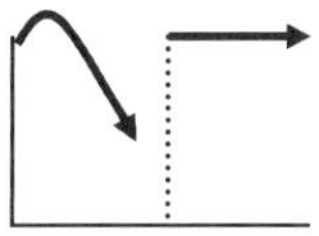

①dàjiā　大家

②càidān　菜单

③jiànkāng　健康

4声＋2声

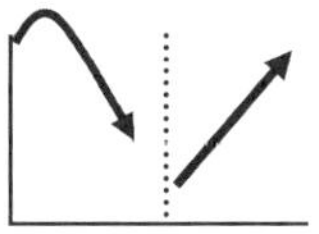

①liànxí　练习

②miàntiáo　面条

③dìtú　地图

4声＋3声

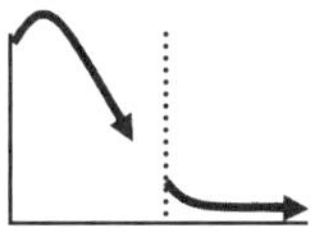

①Rìběn　日本

②diànnǎo　电脑

③bàozhǐ　报纸

4声＋4声

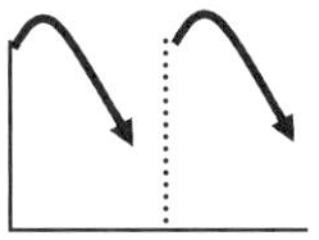

①diànhuà　电话

②hùzhào　护照

③àihào　爱好

## 10．軽声

1声＋軽声

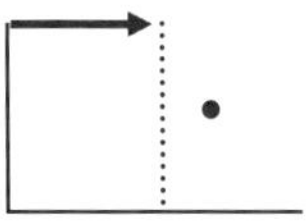

| | | |
|---|---|---|
| ①māma | ②gēge | ③bēizi |
| 妈妈 | 哥哥 | 杯子 |

2声＋軽声

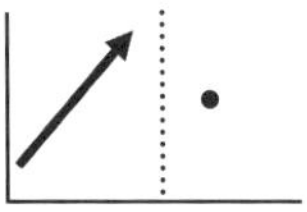

| | | |
|---|---|---|
| ①yéye | ②érzi | ③lái le |
| 爷爷 | 儿子 | 来了 |

3声＋軽声

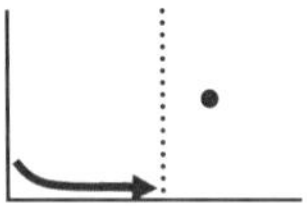

| | | |
|---|---|---|
| ①jiějie | ②nǎinai | ③zǒu ba |
| 姐姐 | 奶奶 | 走吧 |

4声＋軽声

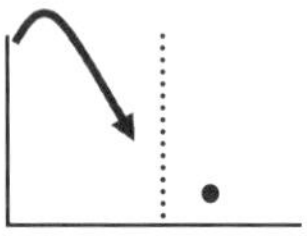

| | | |
|---|---|---|
| ①bàba | ②dìdi | ③mèimei |
| 爸爸 | 弟弟 | 妹妹 |

## 11．三音の組合せ

| | | |
|---|---|---|
| ①túshūguǎn | ②kuàngquánshuǐ | ③Tiān'ānmén |
| 图书馆 | 矿泉水 | 天安门 |
| ④měishùshì | ⑤gālífàn | ⑥pīngpāngqiú |
| 美术室 | 咖喱饭 | 乒乓球 |
| ⑦dàshǐguǎn | ⑧sùliàodài | ⑨zìxíngchē |
| 大使馆 | 塑料袋 | 自行车 |
| ⑩wūlóngchá | ⑪wúxiànwǎng | ⑫bōlibēi |
| 乌龙茶 | 无线网 | 玻璃杯 |

## 12. 一、不の変調

あとに続く語の声調によって、“一”と“不”は変調、つまり声調が変化します。

一（yī）＋1声 ⇒ 一（yì）＋1声
- 一杯　yì bēi
- 一只　yì zhī

一（yī）＋2声 ⇒ 一（yì）＋2声
- 一条　yì tiáo

一（yī）＋3声 ⇒ 一（yì）＋3声
- 一起　yìqǐ
- 一百　yìbǎi

一（yī）＋4声 ⇒ 一（yí）＋4声
- 一下　yíxià
- 一共　yígòng
- 一个　yíge

★“第一课 dì yī kè”や“星期一 xīngqī yī”のように、順序を表す序数で用いられる場合は、変調しない。

不（bù）＋4声 ⇒ 不（bú）＋4声
- 不客气　bú kèqi
- 不用　bú yòng

★不＋1声、不＋2声、不＋3声の時は、変調しない。

## 13. アール化について

単語のうしろに“儿ér”がつくことがあります。これを「アール化（“儿化 érhuà”）」といいます。ピンイン表記では最後に“r”がつきます。アール化によって、発音や声調が変化することがありますので、注意しましょう。

| | | |
|---|---|---|
| ①zhèr<br>这儿 | ②nàr<br>那儿 | ③nǎr<br>哪儿 |
| ④wánr<br>玩儿 | ⑤pír<br>皮儿 | ⑥méishìr<br>没事儿 |
| ⑦yíhuìr<br>一会儿 | ⑧yìdiǎnr<br>一点儿 | ⑨yǒudiǎnr<br>有点儿 |

市省区名

| | |
|---|---|
| 黑龙江省 | Hēilóngjiāngshěng |
| 吉林省 | Jílínshěng |
| 辽宁省 | Liáoníngshěng |
| | |
| 北京市 | Běijīngshì〔市〕 |
| 天津市 | Tiānjīnshì〔市〕 |
| 内蒙古自治区 | Nèiměnggǔ zìzhìqū〔自〕 |
| 河北省 | Héběishěng |
| 山西省 | Shānxīshěng |
| | |
| 上海市 | Shànghǎishì〔市〕 |
| 山东省 | Shāndōngshěng |
| 江苏省 | Jiāngsūshěng |
| 浙江省 | Zhèjiāngshěng |
| 安徽省 | Ānhuīshěng |
| 江西省 | Jiāngxīshěng |
| | |
| 河南省 | Hénánshěng |
| 湖北省 | Húběishěng |
| 湖南省 | Húnánshěng |
| | |
| 福建省 | Fújiànshěng |
| 海南省 | Hǎinánshěng |
| 广东省 | Guǎngdōngshěng |
| 广西壮族自治区 | Guǎngxī Zhuàngzú zìzhìqū〔自〕 |
| | |
| 甘肃省 | Gānsùshěng |
| 陕西省 | Shǎnxīshěng |
| 青海省 | Qīnghǎishěng |
| 新疆维吾尔自治区 | Xīnjiāng Wéiwú'ěr zìzhìqū〔自〕 |
| 宁夏回族自治区 | Níngxià Huízú zìzhìqū〔自〕 |
| | |
| 重庆市 | Chóngqìngshì〔市〕 |
| 四川省 | Sìchuānshěng |
| 贵州省 | Guìzhōushěng |
| 云南省 | Yúnnánshěng |
| 西藏自治区 | Xīzàng zìzhìqū〔自〕 |
| | |
| 香港 | Xiānggǎng〔特〕 |
| 澳门 | Àomén〔特〕 |
| | |
| 台湾省 | Táiwānshěng |

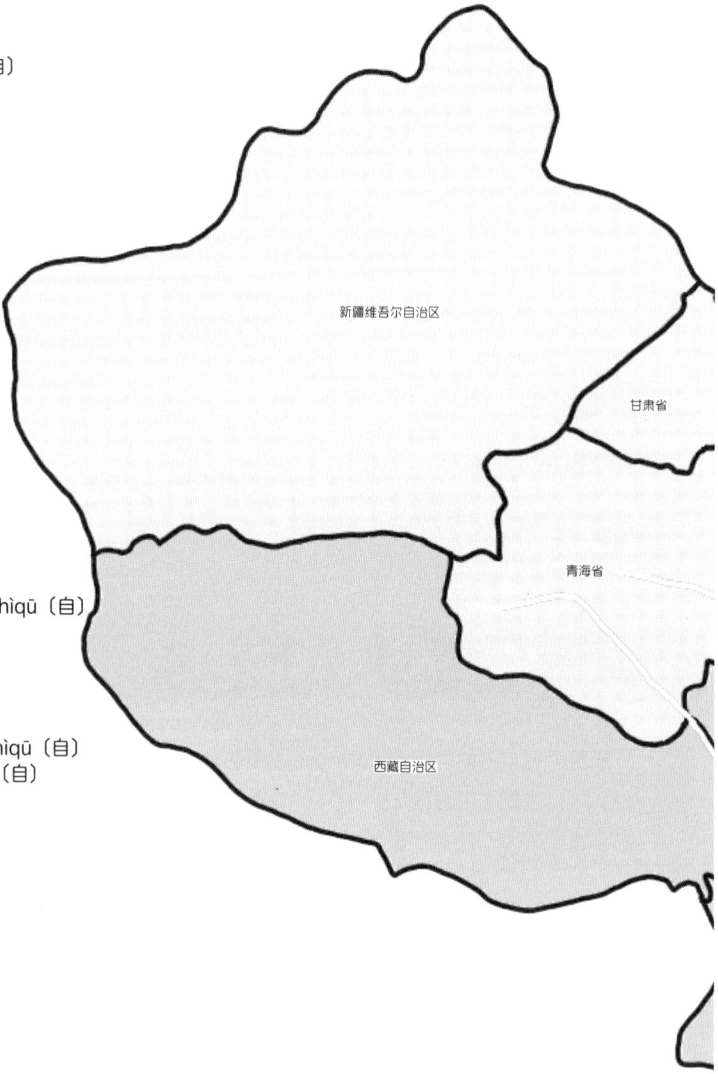


※〔市〕＝ 直辖市 zhíxiáshì
〔自〕＝ 自治区 zìzhìqū
〔特〕＝ 特别行政区 tèbié xíngzhèngqū
台湾は、中国では台湾省としている。

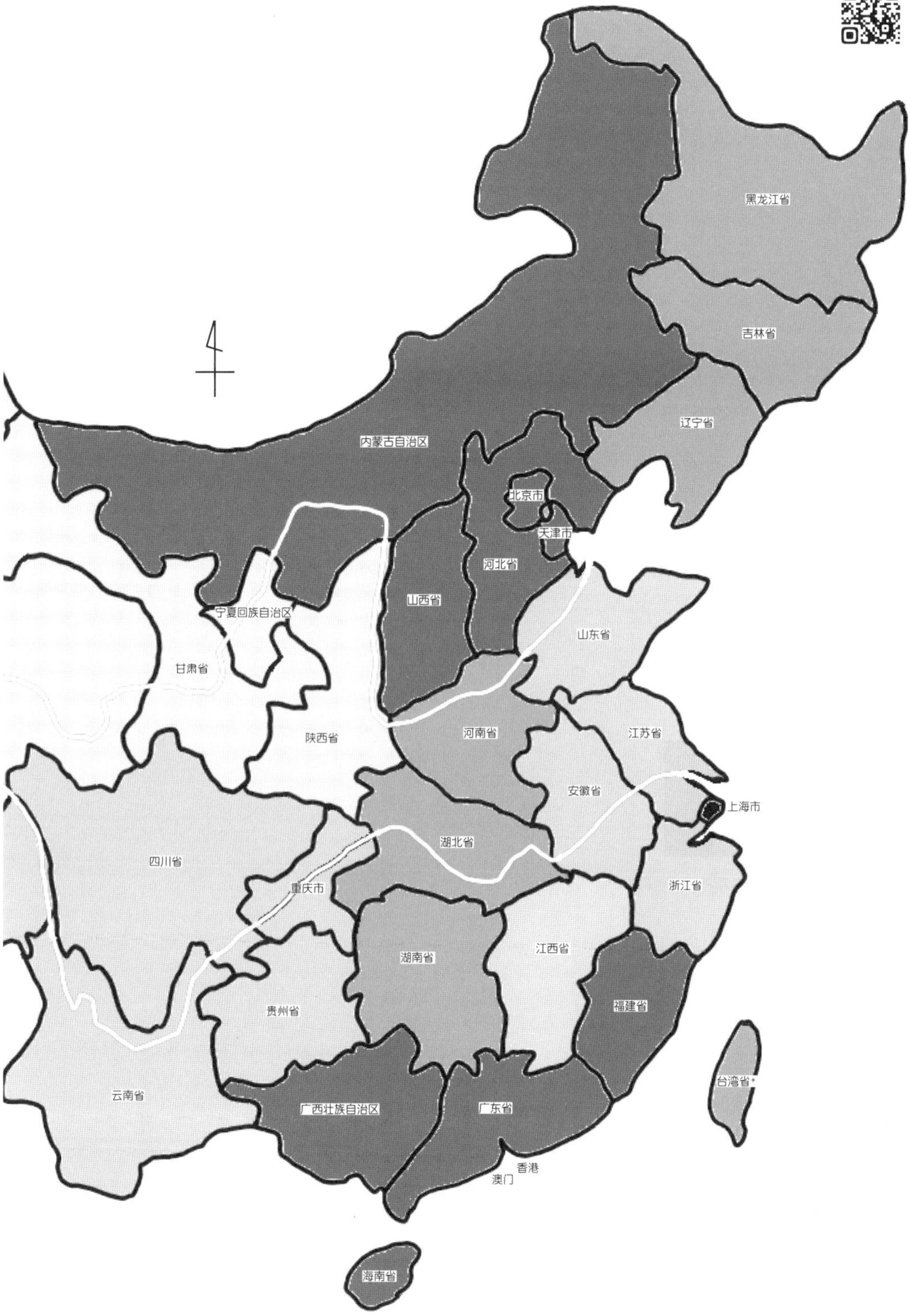
黑龙江省
吉林省
辽宁省
内蒙古自治区
北京市
天津市
河北省
山西省
宁夏回族自治区
山东省
甘肃省
河南省
江苏省
陕西省
安徽省
上海市
湖北省
四川省
重庆市
浙江省
江西省
湖南省
福建省
贵州省
台湾省*
云南省
广西壮族自治区
广东省
香港
澳门
海南省

# 会 話 篇

第１課：お名前は

第２課：どうしましたか

第３課：おなかペコペコ

第４課：それはよかった

第５課：具合はいかがですか

第６課：ごゆっくりどうぞ

第７課：池袋に行きたい

第８課：パンダを見に行く

第９課：おかいもの

第10課：すこしできます

【登場人物】

木村：中国語を勉強中の大学生。カフェでアルバイト中。

范　：中国人留学生。日本語はまだあまりうまく話せない。

チェック！

https://hirogaru.net/

# 1

## ▸▸▸ 無気音・有気音の練習

**A** 有気音・無気音の違いに注意しながら発音しよう。

| | | | |
|---|---|---|---|
| ① bāng pāng | ② bái pái | ③ dé tè | ④ diào tiáo |
| ⑤ gē kē | ⑥ gòng kòng | ⑦ jǐ qǐ | ⑧ jù qù |
| ⑨ zì cí | ⑩ zài cài | ⑪ zhī chī | ⑫ zhōng chōng |

**B** 発音された音を聞いて、適当な子音を書いて声調符号をつけよう。

| | | | |
|---|---|---|---|
| ① __ ang | ② __ ang | ③ __ ang | ④ __ ang |
| ⑤ __ e | ⑥ __ ong | ⑦ __ i | ⑧ __ u |
| ⑨ __ i | ⑩ __ ai | ⑪ __ i | ⑫ __ ong |

## 会話表現

### Dì yī kè　Nǐ jiào shénme míngzi?

老师： Nǐ hǎo!

范： Lǎoshī hǎo!

老师： Nǐ jiào shénme míngzi?

范： Wǒ jiào Fàn Míng.

老师： Fàn Míng, hěn hǎotīng.

范： Xièxie lǎoshī.

老师： Nǐ shì Zhōngguó nǎr rén?

范： Sūzhōu.

老师： Hǎo dìfang!

## 会話表現

# 第一课　你叫什么名字？

| | | |
|---|---|---|
| 老师： | 你好！ | こんにちは。 |
| 范： | 老师好！ | 先生、こんにちは。 |
| 老师： | 你叫什么名字? | お名前は。 |
| 范： | 我叫范明。 | 范明です。 |
| 老师： | 范明，很好听。 | 范明、いい名前ですね。 |
| 范： | 谢谢老师。 | ありがとうございます。 |
| 老师： | 你是中国哪儿人? | 出身は。 |
| 范： | 苏州。 | 蘇州です。 |
| 老师： | 好地方！ | いいところですね。 |

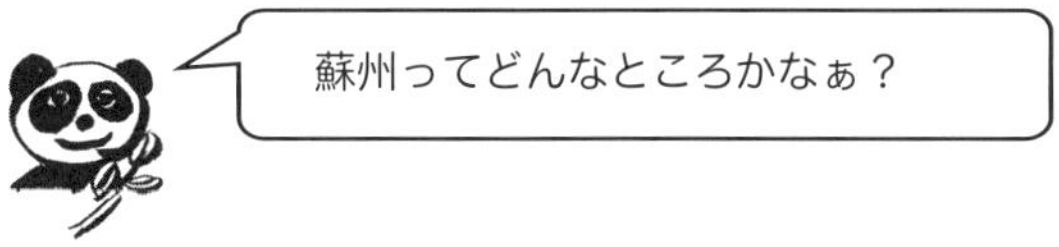

## 基本知識

▸▸▸ 基本の挨拶

① 你好。 Nǐ hǎo.
您好。 Nín hǎo.

② 你们好。 Nǐmen hǎo.
大家好。 Dàjiā hǎo.

③ 早上好。 Zǎoshang hǎo.
下午好。 Xiàwǔ hǎo.
晚上好。 Wǎnshang hǎo.

④ 谢谢。 Xièxie.
— 不客气。 —— Bú kèqi.
— 不用谢。 —— Búyòng xiè.

⑤ 对不起。 Duìbuqǐ.
— 没关系。 —— Méi guānxi.

⑥ 请多关照。 Qǐng duō guānzhào.
请多指教。 Qǐng duō zhǐjiào.

## 語彙力up ››› 世界の国々

A 日本 Rìběn

B 中国 Zhōngguó

C 韩国 Hánguó

D 美国 Měiguó

E 英国 Yīngguó

F 德国 Déguó

G 法国 Fǎguó

H 俄罗斯 Éluósī

## 練習

▸▸▸ 次の質問に中国語で答えてみよう。

(1) 你叫什么名字？

Nǐ jiào shénme míngzi?

(2) 您贵姓？

Nín guì xìng?

(3) 你是哪国人？

Nǐ shì nǎ guó rén?

# 2

‣‣‣ -ian・-üan の練習

**A** 母音の表記に注意しながら、発音してみよう。

① pián　② tiān　③ miàn　④ biǎn

⑤ { yán / yuán }　⑥ { jiān / juān }　⑦ { qián / quán }　⑧ { xiàn / xuān }

**B** 発音された音を聞いて、適当な母音を書いて声調符号をつけよう。

① m _____　② j _____　③ q _____　④ x _____

⑤ j _____　⑥ q _____　⑦ x _____　⑧ y _____

## 会話表現

# Dì èr kè　　Nǐ zěnme le?

（廊下で困っていそうな人をみかけて）

老师：Nǐ zěnme le ?

范：Wǒ zhǎobudào jiàoshì.

老师：Jǐ hào jiàoshì ?

范：Sān-líng-sān.

老师：Sān-líng-sān zài sān lóu.

范：Zhīdao le, xièxie lǎoshī.

老师：Bú xiè, kuài qù ba.

范：Hǎo de, zàijiàn.

老师：Zàijiàn.

## 会話表現

# 第二课　你怎么了?

（廊下で困っていそうな人をみかけて）

| | | |
|---|---|---|
| 老师： | 你怎么了? | どうしましたか。 |
| 范： | 我找不到教室。 | 教室がわかりません。 |
| 老师： | 几号教室? | 何番教室ですか。 |
| 范： | 三〇三。 | 303 です。 |
| 老师： | 三〇三在三楼。 | 303 は 3 階です。 |
| 范： | 知道了，谢谢老师。 | わかりました、先生ありがとうございます。 |
| 老师： | 不谢，快去吧。 | どういたしまして、早く行きなさい。 |
| 范： | 好的，再见。 | はい、失礼します。 |
| 老师： | 再见。 | では、また。 |

## 基本知識 ▸▸▸ 数字の言い方

| | | | |
|---|---|---|---|
| 一 | yī | 十一 | shíyī |
| 二 | èr | 十二 | shí'èr |
| 三 | sān | 十三 | shísān |
| 四 | sì | 十四 | shísì |
| 五 | wǔ | 十五 | shíwǔ |
| 六 | liù | 十六 | shíliù |
| 七 | qī | 十七 | shíqī |
| 八 | bā | 十八 | shíbā |
| 九 | jiǔ | 十九 | shíjiǔ |
| 十 | shí | 二十 | èrshí |

| | | | | | |
|---|---|---|---|---|---|
| 二十一 | èrshiyī | 二十二 | èrshi'èr | 三十 | sānshí |
| 三十一 | sānshiyī | 三十三 | sānshisān | 四十 | sìshí |
| 四十一 | sìshiyī | 四十四 | sìshisì | 五十 | wǔshí |
| 五十一 | wǔshiyī | 五十五 | wǔshiwǔ | 六十 | liùshí |
| 六十一 | liùshiyī | 六十六 | liùshiliù | 七十 | qīshí |
| 七十一 | qīshiyī | 七十七 | qīshiqī | 八十 | bāshí |
| 八十一 | bāshiyī | 八十八 | bāshibā | 九十 | jiǔshí |
| 九十一 | jiǔshiyī | 九十九 | jiǔshijiǔ | 一百 | yìbǎi |
| 零（〇） | líng | | | | |

★"十"数字と数字の間にはさまれると"shi"と軽声になる。
★"一"は部屋番号や電話番号のときは"yāo"と発音する。

### ▸▸▸ １００より大きい数字

| | | | |
|---|---|---|---|
| 一百 | yìbǎi | 一千零一十 | yìqiānlíngyīshí |
| 一百零一 | yìbǎilíngyī | 一千一 | yìqiānyī |
| 一百一 | yìbǎiyī | 一千一百 | yìqiānyìbǎi |
| 一百一十 | yìbǎiyīshí | 两千 / 二千 | liǎngqiān / èrqiān |
| 一百一十一 | yìbǎiyīshiyī | 一万 | yíwàn |
| 两百 / 二百 | liǎngbǎi / èrbǎi | 两万 / 二万 | liǎngwàn / èrwàn |
| 一千 | yìqiān | 一亿 / 一万万 | yíyì / yíwànwàn |
| 一千零一 | yìqiānlíngyī | 一兆 | yízhào |

## 語彙力up ▸▸▸ 教室用語

A 男生 nánshēng

B 女生 nǚshēng

C 黑板 hēibǎn

D 窗户 chuānghu

E 桌子 zhuōzi

F 椅子 yǐzi

G 电脑 diànnǎo

H 投影机 tóuyǐngjī

## 練習

▸▸▸ 次の質問に中国語で答えてみよう。

(1) 您多大岁数？

Nín duōdà suìshu?

(2) 你的电话号码是多少？

Nǐ de diànhuà hàomǎ shì duōshao?

(3) 教室里有什么？

Jiàoshì li yǒu shénme?

# 3 ▸▸▸ -iu・-ui・-un の練習

**A** 母音に注意しながら、発音してみよう。

① jiǔ　② liù　③ miù　④ xiū

⑤ duì　⑥ tuī　⑦ chuí　⑧ suì

⑨ gǔn　⑩ cūn　⑪ dùn　⑫ rùn

**B** 発音された音を聞いて、適当な母音を書いて声調符号をつけよう。

① q ____　② l ____　③ g ____　④ s ____

⑤ l ____　⑥ s ____　⑦ j ____　⑧ ch ____

⑨ t ____　⑩ c ____　⑪ k ____　⑫ z ____

## 会話表現

### Dì sān kè　　Wǒ è sǐ le!

（午前の授業が終わって）

木村：Wǒ è sǐ le!

范：Qù chīfàn ba.

木村：Hǎo, zǒu !

（食堂に到着して）

范：Nǐ chī shénme?

木村：Wǒ chī gālífàn, nǐ ne?

范：Gālífàn hǎochī ma?

木村：Hěn hǎochī .

范：Nà, wǒ yě chī gālífàn ba.

## 会話表現

# 第三课　我饿死了！

（午前の授業が終わって）

| | | |
|---|---|---|
| 木村： | 我饿死了！ | おなかがペコペコだ。 |
| 范： | 去吃饭吧。 | ご飯を食べに行きましょう。 |
| 木村： | 好，走！ | そうだね、行きましょう。 |

（食堂に到着して）

| | | |
|---|---|---|
| 范： | 你吃什么? | 何を食べますか。 |
| 木村： | 我吃咖喱饭，你呢? | 私はカレーライスにするけど、あなたは。 |
| 范： | 咖喱饭好吃吗? | カレーライスはおいしいですか。 |
| 木村： | 很好吃。 | とてもおいしいよ。 |
| 范： | 那，我也吃咖喱饭吧。 | じゃ、私もカレーライスを食べよう。 |

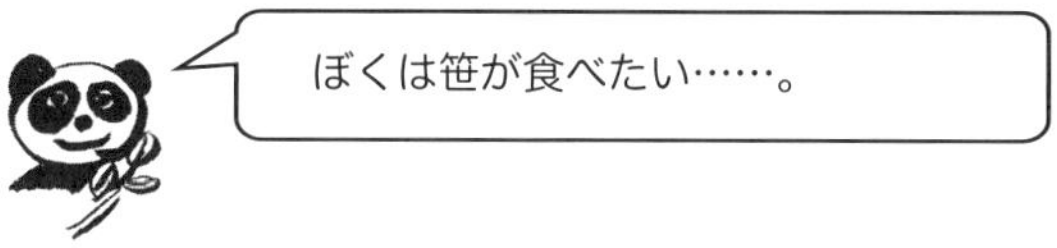


チェック！
https://hirogaru.net/

## 基本知識 ▸▸▸ 基本的な動詞

| | | | |
|---|---|---|---|
| ① | 有 yǒu | 我有词典。 | Wǒ yǒu cídiǎn. |
| ② | 在 zài | 我在食堂。 | Wǒ zài shítáng. |
| ③ | 来 lái | 他来东京。 | Tā lái Dōngjīng. |
| ④ | 去 qù | 她去北京。 | Tā qù Běijīng. |
| ⑤ | 走 zǒu | 一起走吧！ | Yìqǐ zǒu ba! |
| ⑥ | 跑 pǎo | 别跑！ | Bié pǎo! |
| ⑦ | 吃 chī | 你吃什么？ | Nǐ chī shénme? |
| ⑧ | 喝 hē | 你喝什么？ | Nǐ hē shénme? |
| ⑨ | 买 mǎi | 我买东西。 | Wǒ mǎi dōngxi. |
| ⑩ | 看 kàn | 我看电影。 | Wǒ kàn diànyǐng. |
| ⑪ | 说 shuō | 他说什么？ | Tā shuō shénme? |
| ⑫ | 听 tīng | 我听音乐。 | Wǒ tīng yīnyuè. |

## 語彙力up ▸▸▸ 食べ物

A 米饭 mǐfàn

B 面包 miànbāo

C 拉面 lāmiàn

D 荞麦面 qiáomàimiàn

E 意大利面 Yìdàlìmiàn

F 水饺 shuǐjiǎo

G 煎饺 jiānjiǎo

H 盖饭 gàifàn

▸▸▸ 飲み物

A 可乐 kělè

B 牛奶 niúnǎi

C 绿茶 lǜchá

D 红茶 hóngchá

E 乌龙茶 wūlóngchá

F 咖啡 kāfēi

G 矿泉水 kuàngquánshuǐ

H 橙汁 chéngzhī

## 練習

▸▸▸ 次の質問に中国語で答えてみよう。

（1）你喜欢吃什么？

Nǐ xǐhuan chī shénme?

（2）你喜欢喝什么？

Nǐ xǐhuan hē shénme?

（3）你周末喜欢干什么？

Nǐ zhōumò xǐhuan gàn shénme?

# 4 ▸▸▸ y-・w-・yu- の練習

**A** 発音してみよう。

① yā　② yíng　③ wèn　④ wàng

⑤ yuǎn　⑥ yán　⑦ yǔ　⑧ wèi

**B** 発音された音を聞いて、声調符号をつけよう。

① yao　② wa　③ wen　④ yuan

⑤ wei　⑥ wu　⑦ yu　⑧ yi

⑨ yue　⑩ yang　⑪ wen　⑫ yan

## 会話表現

### Dì sì kè　Nà tài hǎo le!

（困っていそうな人をみかけて）

木村：Xūyào bāngmáng ma?

翁：Túshūguǎn zài nǎli?

木村：Túshūguǎn?　Wǒ dài nǐ qù ba.

翁：Zhēn de ma?　Nà tài hǎo le!

木村：Gēn wǒ zǒu ba.

翁：Hǎo de.

（図書館に到着して）

木村：Dào le.

翁：Tài xièxie nǐ le.

木村：Méi shì.

## 会話表現

# 第四课　那太好了！

| | | |
|---|---|---|
| | （困っていそうな人をみかけて） | |
| 木村： | 需要帮忙吗? | 何かお困りですか。 |
| 翁： | 图书馆在哪里? | 図書館はどちらですか。 |
| 木村： | 图书馆？ 我带你去吧。 | 図書館ですか。お連れしましょう。 |
| 翁： | 真的吗？ 那太好了！ | 本当ですか。それはよかった。 |
| 木村： | 跟我走吧。 | いっしょにいらしてください。 |
| 翁： | 好的。 | はい。 |
| | （図書館に到着して） | |
| 木村： | 到了。 | 着きました。 |
| 翁： | 太谢谢你了。 | 本当にありがとうございました。 |
| 木村： | 没事。 | どういたしまして。 |

“翁(wēng)” は中国人の苗字だよ。

チェック！
https://hirogaru.net/

## 基本知識 ▸▸▸ 基本的な形容詞

| | | | |
|---|---|---|---|
| ① | 多 duō | 人很多。 | Rěn hěn duō. |
| | 少 shǎo | 东西很少。 | Dōngxi hěn shǎo. |
| ② | 大 dà | 这个很大。 | Zhège hěn dà. |
| | 小 xiǎo | 那个很小。 | Nàge hěn xiǎo. |
| ③ | 远 yuǎn | 我家很远。 | Wǒ jiā hěn yuǎn. |
| | 近 jìn | 大学很近。 | Dàxué hěn jìn. |
| ④ | 早 zǎo | 你早！ | Nǐ zǎo! |
| | 晚 wǎn | 时间晚了。 | Shíjiān wǎn le. |
| ⑤ | 快 kuài | 速度很快。 | Sùdù hěn kuài. |
| | 慢 màn | 太慢了。 | Tài màn le. |
| ⑥ | 高 gāo | 个子很高。 | Gèzi hěn gāo. |
| | 矮 ǎi | 个子很矮。 | Gèzi hěn ǎi. |
| ⑦ | 热 rè | 真热！ | Zhēn rè! |
| | 凉 liáng | 天气很凉。 | Tiānqì hěn liáng. |
| | 冷 lěng | 外面很冷。 | Wàimian hěn lěng. |
| ⑧ | 难 nán | 汉语很难。 | Hànyǔ hěn nán. |
| | 简单 jiǎndān | 问题很简单。 | Wèntí hěn jiǎndān. |
| | 容易 róngyì | 工作很容易。 | Gōngzuò hěn róngyì. |

### ▸▸▸ 疑問詞

| | | |
|---|---|---|
| ① | 什么 | shénme |
| ② | 什么时候 | shénme shíhou |
| ③ | 哪个 | nǎge |
| ④ | 谁 | shéi |
| ⑤ | 几 / 多少 | jǐ ／ duōshao |
| ⑥ | 哪儿 / 哪里 / 什么地方 | nǎr ／ nǎli ／ shénme dìfang |
| ⑦ | 怎么 / 怎么样 | zěnme ／ zěnmeyàng |

## 語彙力up ▸▸▸ 施設など

| | | |
|---|---|---|
| A | 美术馆 | měishùguǎn |
| B | 博物馆 | bówùguǎn |
| C | 体育馆 | tǐyùguǎn |
| D | 银行 | yínháng |
| E | 邮局 | yóujú |
| F | 医院 | yīyuàn |
| G | 宾馆 | bīnguǎn |
| H | 便利店 | biànlìdiàn |

## 練習

››› 次の質問に中国語で答えてみよう。

(1) 今天天气怎么样？

Jīntiān tiānqì zěnmeyàng?

(2) 你去哪儿？

Nǐ qù nǎr?

(3) 你是谁？

Nǐ shì shéi?

# 5

## ▸▸▸ 二音の組合せの練習（1）

**A** 声調に注意しながら発音してみよう。

① xiànzài　② shūfu　③ tóuyūn

④ xiūxi　⑤ yìsi　⑥ kèqi

⑦ tóuténg　⑧ késou　⑨ shòushāng

⑩ yáténg　⑪ fāshāo　⑫ xiǎng tù

**B** 発音された音を聞いて、声調符号をつけよう。

① xingqi　② liangdian　③ jinnian　④ shangwu

⑤ gongzuo　⑥ mifan　⑦ ruanjian　⑧ jingcha

⑨ xinsu　⑩ kaixin　⑪ shuijiao　⑫ wanshang

## 会話表現

### Dì wǔ kè　Nín zěnmeyàng le?

（具合の悪そうな人をみかけて…）

木村：Nín zěnme le?

学生：Wǒ bù shūfu, yǒudiǎnr tóuyūn.

木村：Kuài zuòxia, xiūxi yíhuìr.

学生：Zhēn bù hǎo yìsi.

（しばらく様子を見て）

木村：Nín zěnmeyàng le?  Hǎo diǎnr le ma?

学生：Hǎo duō le, xièxie nín. Xiànzài jǐ diǎn le?

木村：Shí diǎn èrshí  fēn.

学生：Wǒ děi zǒu le, shí diǎn bàn yǒu kè.

木村：Hái yǒu shí fēnzhōng ne, zǒu màn diǎnr!

## 会話表現

### 第五课　您怎么样了？

（具合の悪そうな人をみかけて…）

| | | |
|---|---|---|
| 木村： | 您怎么了？ | どうしましたか。 |
| 学生： | 我不舒服，有点儿头晕。 | 具合が悪くて、ちょっとめまいが。 |
| 木村： | 快坐下，休息一会儿。 | すぐ座ってちょっと休んでください。 |
| 学生： | 真不好意思。 | 本当にすみません。 |

（しばらく様子を見て）

| | | |
|---|---|---|
| 木村： | 您怎么样了？好点儿了吗？ | 具合はいかがですか。少しよくなりましたか。 |
| 学生： | 好多了，谢谢您。现在几点了？ | だいぶよくなりました。ありがとう。今、何時ですか。 |
| 木村： | 10 点 20 分。 | 10 時 20 分です。 |
| 学生： | 我得走了，10 点半有课。 | 行かなくては。10 時半から授業があります。 |
| 木村： | 还有 10 分钟呢，走慢点儿！ | まだ 10 分ありますよ。気をつけて。 |

ぼくは笹がないと“不舒服”なんだ。

チェック！
https://hirogaru.net/

## 基本知識 ▸▸▸ 日付・曜日・時刻の言い方

**年**

| | | | |
|---|---|---|---|
| èrlíng’èrlíng nián | èrlíngyībā nián | èrlínglínglíng nián | yījiǔsìjiǔ nián |
| 二〇二〇年 | 二〇一八年 | 二〇〇〇年 | 一九四九年 |

**月**

| | | | | | |
|---|---|---|---|---|---|
| yī yuè | èr yuè | sān yuè | sì yuè | wǔ yuè | liù yuè |
| 一月 | 二月 | 三月 | 四月 | 五月 | 六月 |
| qī yuè | bā yuè | jiǔ yuè | shí yuè | shíyī yuè | shí’èr yuè |
| 七月 | 八月 | 九月 | 十月 | 十一月 | 十二月 |

**日**

| | | | | |
|---|---|---|---|---|
| yī hào | èr hào | sān hào | sì hào | wǔ hào |
| 一号 | 二号 | 三号 | 四号 | 五号 |
| liù hào | qī hào | bā hào | jiǔ hào | shí hào |
| 六号 | 七号 | 八号 | 九号 | 十号 |
| shíyī hào | shí’èr hào | shísān hào | shísì hào | shíwǔ hào |
| 十一号 | 十二号 | 十三号 | 十四号 | 十五号 |
| shíliù hào | shíqī hào | shíbā hào | shíjiǔ hào | èrshí hào |
| 十六号 | 十七号 | 十八号 | 十九号 | 二十号 |
| èrshiyī hào | èrshi’èr hào | èrshisān hào | èrshisì hào | èrshiwǔ hào |
| 二十一号 | 二十二号 | 二十三号 | 二十四号 | 二十五号 |
| èrshiliù hào | èrshiqī hào | èrshibā hào | èrshijiǔ hào | sānshí hào |
| 二十六号 | 二十七号 | 二十八号 | 二十九号 | 三十号 |
| sānshiyī hào | | | | |
| 三十一号 | | | | |

**曜日**

| | | | | | | |
|---|---|---|---|---|---|---|
| xīngqīyī | xīngqī’èr | xīngqīsān | xīngqīsì | xīngqīwǔ | xīngqīliù | xīngqītiān(-rì) |
| 星期一 | 星期二 | 星期三 | 星期四 | 星期五 | 星期六 | 星期天 (- 日 ) |

**時刻**

| | | | | | |
|---|---|---|---|---|---|
| yì diǎn | liǎng diǎn | sān diǎn | sì diǎn | wǔ diǎn | liù diǎn |
| 一点 | 两点 | 三点 | 四点 | 五点 | 六点 |
| qī diǎn | bā diǎn | jiǔ diǎn | shí diǎn | shíyī diǎn | shí’èr diǎn |
| 七点 | 八点 | 九点 | 十点 | 十一点 | 十二点 |

| | | |
|---|---|---|
| １：０５ | 一点零五分 | yì diǎn líng wǔ fēn |
| ２：１５ | 两点一刻 | liǎng diǎn yí kè |
| ３：３０ | 三点半 | sān diǎn bàn |
| ４：４５ | 四点三刻 | sì diǎn sān kè |
| ４：５５ | 五点差五分 | wǔ diǎn chà wǔ fēn |

## ▸▸▸ 時を表すことば

| | | | | | | | |
|---|---|---|---|---|---|---|---|
| 年 | 大前年《dàqiánnián》 | 前年《qiánnián》 | 去年《qùnián》 | 今年《jīnnián》 | 明年《míngnián》 | 后年《hòunián》 | 大后年《dàhòunián》 |
| 月 | 上个月《shàng ge yuè》 | | 这个月《zhè ge yuè》 | | 下个月《xià ge yuè》 | | |
| 日 | 大前天《dàqiántiān》 | 前天《qiántiān》 | 昨天《zuótiān》 | 今天《jīntiān》 | 明天《míngtiān》 | 后天《hòutiān》 | 大后天《dàhòutiān》 |
| | 上个星期《shàng ge xīngqī》 | | 这个星期《zhè ge xīngqī》 | | 下个星期《xià ge xīngqī》 | | |
| | 早上《zǎoshang》 | 上午《shàngwǔ》 | 中午《zhōngwǔ》 | 下午《xiàwǔ》 | 晚上《wǎnshang》 | | |

## 語彙力up ▸▸▸ 病状

A 头疼 tóuténg

B 发烧 fāshāo

C 咳嗽 késou

D 嗓子疼 sǎngzi téng

E 牙疼 yá téng

F 拉肚子 lā dùzi

G 想吐 xiǎng tù

H 受伤 shòushāng

## 練 習

››› 次の質問に中国語で答えてみよう。

(1) 你的生日几月几号？

Nǐ de shēngrì jǐ yuè jǐ hào?

(2) 你每天几点起床？睡几个小时？

Nǐ měitiān jǐ diǎn qǐchuáng? Shuì jǐ ge xiǎoshí?

(3) 你哪儿不舒服？

Nǐ nǎr bù shūfu?

# 6 ▸▸▸ 二音の組合せの練習（2）

**A** 声調に注意して発音してみよう。

| | | |
|---|---|---|
| ① hóngchá | ② rìyuán | ③ shàngwǎng |
| ④ mànyòng | ⑤ diǎncài | ⑥ xīguǎn |
| ⑦ jiézhàng | ⑧ bēizi | ⑨ càidān |
| ⑩ xièxie | ⑪ yìbǎi | ⑫ màoyì |

**B** 発音された音を聞いて、声調符号をつけよう。

| | | | |
|---|---|---|---|
| ① daren | ② pijiu | ③ zazhi | ④ maoyi |
| ⑤ wazi | ⑥ zhuozi | ⑦ yifu | ⑧ niunai |
| ⑨ sishi | ⑩ lüke | ⑪ nali | ⑫ haohaor |

## 会話表現

### Dì liù kè　Qǐng màn yòng

（カフェのアルバイト中に中国人のお客が入ってきて）

木村：Nín yào shénme?

游客：Lái yì bēi hóngchá.

木村：Rè de, háishi bīng de?

游客：Rè de.

木村：Sì bǎi rìyuán.

（500 円玉を出して）

游客：Gěi.

木村：Zhǎo nín yì bǎi rìyuán.

游客：Xièxie.  Duìle, zhèli néng shàngwǎng ma?

木村：Duìbuqǐ, méiyou Wi-Fi .

游客：Ò, zhīdào le.

木村：Qǐng màn yòng.

# 会話表現

## 第六课　请慢用

（カフェのアルバイト中に中国人のお客が入ってきて）

| | | |
|---|---|---|
| 木村： | 您要什么? | ご注文は。 |
| 游客： | 来一杯红茶。 | 紅茶をひとつ。 |
| 木村： | 热的，还是冰的？ | ホットですか、それともアイスですか。 |
| 游客： | 热的。 | ホットで。 |
| 木村： | 四百日元。 | 400 円になります。 |
| | （500 円玉を出して） | |
| 游客： | 给。 | どうぞ。 |
| 木村： | 找您一百日元。 | 100 円のお返しです。 |
| 游客： | 谢谢。对了，这里能上网吗? | どうも。そういえば、ここはネットにつながりますか。 |
| 木村： | 对不起，没有 Wi-Fi。 | すみません。Wi-Fi はありません。 |
| 游客： | 哦，知道了。 | はい、わかりました。 |
| 木村： | 请慢用。 | ごゆっくりどうぞ。 |

チェック！
https://hirogaru.net/

## 基本知識 ▸▸▸ よく使われる量詞

| | | | |
|---|---|---|---|
| ① | 个 ge | 一个人 | yí ge rén |
| | | 两个大人 | liǎng ge dàren |
| ② | 本 běn | 三本书 | sān běn shū |
| | | 四本杂志 | sì běn zázhì |
| ③ | 张 zhāng | 一张桌子 | yì zhāng zhuōzi |
| | | 两张纸 | liǎng zhāng zhǐ |
| ④ | 把 bǎ | 三把椅子 | sān bǎ yǐzi |
| | | 两把伞 | liǎng bǎ sǎn |
| ⑤ | 块 kuài | 一块肉 | yí kuài ròu |
| | | 三块钱 | sān kuài qián |
| ⑥ | 杯 bēi | 两杯茶 | liǎng bēi chá |
| | | 一杯酒 | yì bēi jiǔ |
| ⑦ | 瓶 píng | 五瓶牛奶 | wǔ píng niúnǎi |
| | | 两瓶啤酒 | liǎng píng píjiǔ |
| ⑧ | 辆 liàng | 七辆车 | qī liàng chē |
| | | 一辆汽车 | yí liàng qìchē |
| ⑨ | 件 jiàn | 两件毛衣 | liǎng jiàn máoyī |
| | | 一件衣服 | yí jiàn yīfu |
| ⑩ | 条 tiáo | 一条河 | yì tiáo hé |
| | | 两条狗 | liǎng tiáo gǒu |
| ⑪ | 双 shuāng | 一双袜子 | yì shuāng wàzi |
| | | 两双筷子 | liǎng shuāng kuàizi |
| ⑫ | 只 zhī | 一只猫 | yì zhī māo |
| | | 两只小鸟 | liǎng zhī xiǎoniǎo |

### ▸▸▸ お金の表し方

＜書きことば＞

元 yuán　　角 jiǎo　　分 fēn

＜話しことば＞

块 kuài　　毛 máo　　分 fēn

## 語彙力up ▸▸▸ カフェ

| | | |
|---|---|---|
| A | 服务员 | fúwùyuán |
| B | 点菜 | diǎncài |
| C | 菜单 | càidān |
| D | 杯子 | bēizi |
| E | 玻璃杯 | bōlibēi |
| F | 饮料 | yǐnliào |
| G | 吸管 | xīguǎn |
| H | 结账 | jiézhàng |

## 練習

▸▸▸ 次の質問に中国語で答えてみよう。

(1) 您要什么？

Nín yào shénme?

(2) 一瓶牛奶多少钱？

Yì píng niúnǎi duōshao qián?

(3) 还要别的吗？

Hái yào biéde ma?

# 7 三音・四音の組合せの練習

**A** 声調に注意して発音してみよう。

① qiǎokèlì　② tàijíquán

③ mǐ lǎoshǔ　④ bǐjìběn

⑤ méi wèntí　⑥ liúxuéshēng

⑦ bù hǎo yìsi　⑧ shénme shíhou

**B** 発音された音を聞いて、適当な声調符号をつけよう。

① kendeji　② yintewang

③ baolingqiu　④ xishoujian

⑤ fuwuyuan　⑥ bowuguan

⑦ touyingji　⑧ liuxuesheng

## 会話表現

### Dì qī kè　Xiǎng qù Chídài

（駅で困っていそうな中国人旅行客をみかけて）

木村：Xūyào bāngmáng ma?

游客：Wǒ xiǎng qù Chídài.

木村：Chídài?  Wǒ chá yíxià.

游客：Èi, máfan nín le.

（スマートフォンで検索して）

木村：Xiān zuò Zhōngyāng Xiàn, ránhòu zài Xīnsù huàn Shānshǒu Xiàn.

（新宿に到着して）

游客：Qǐngwèn,  Shānshǒu Xiàn zài nǎli?

范：Zài nàr, lǜsè de.

游客：Kàndào le, kàndào le. Xièxie nín!

范：Bú kèqi.

## 会話表現

# 第七课　想去池袋

（駅で困っていそうな中国人旅行客をみかけて）

| | | |
|---|---|---|
| 木村： | 需要帮忙吗? | 何かお困りですか。 |
| 游客： | 我想去池袋。 | 池袋に行きたいのですが。 |
| 木村： | 池袋? 我查一下。 | 池袋ですか。ちょっと調べてみますね。 |
| 游客： | 欸，麻烦您了。 | はい、お手数をおかけします。 |
| | （スマートフォンで検索して） | |
| 木村： | 先坐中央线，然后在新宿换山手线。 | まず中央線に乗って、それから新宿で山手線に乗り換えてください。 |
| | （新宿に到着して） | |
| 游客： | 请问，山手线在哪里? | すみません、山手線はどこですか。 |
| 范： | 在那儿，绿色的。 | あそこです。緑色のです。 |
| 游客： | 看到了，看到了。谢谢您！ | 見えました､見えました｡ありがとうございます｡ |
| 范： | 不客气。 | どういたしまして。 |

チェック！
https://hirogaru.net/

## 基本知識 ▸▸▸ 助動詞を使った表現

| | | |
|---|---|---|
| ① | 会<br>huì | 我会开车。<br>Wǒ huì kāichē. |
| ② | 能<br>néng | 明天你能来吗?<br>Míngtiān nǐ néng lái ma? |
| ③ | 可以<br>kěyǐ | 你可以不来。<br>Nǐ kěyǐ bù lái. |
| ④ | 想<br>xiǎng | 我想睡觉。<br>Wǒ xiǎng shuìjiào. |
| ⑤ | 要<br>yào | 我要去留学。<br>Wǒ yào qù liúxué. |
| ⑥ | 要<br>yào | 你们要好好儿学习。<br>Nǐmen yào hǎohāor xuéxí. |
| ⑦ | 得<br>děi | 明天我得回国了。<br>Míngtiān wǒ děi huíguó le. |
| ⑧ | 应该<br>yīnggāi | 你不应该这么做。<br>Nǐ bù yīnggāi zhème zuò. |

### ▸▸▸ 色

| | | | |
|---|---|---|---|
| 黑色 | hēisè | 绿色 | lǜsè |
| 灰色 | huīsè | 粉色 | fěnsè |
| 红色 | hóngsè | 紫色 | zǐsè |
| 橙色 | chéngsè | 白色 | báisè |
| 蓝色 | lánsè | 黄色 | huángsè |

## 語彙力up ▸▸▸ 路線名

| | | |
|---|---|---|
| A | 总武线 | Zǒngwǔ Xiàn |
| B | 井之头线 | Jǐngzhītóu Xiàn |
| C | 西武线 | Xīwǔ Xiàn |
| D | 东武线 | Dōngwǔ Xiàn |
| E | 京王线 | Jīngwáng Xiàn |
| F | 都营地铁线 | Dūyíng Dìtiě Xiàn |
| G | 东京地铁线 | Dōngjīng Dìtiě Xiàn |
| H | 新干线 | Xīngàn Xiàn |

## 練 習

››› 次の質問に中国語で答えてみよう。

(1) 你想去哪儿？

Nǐ xiǎng qù nǎr?

(2) 去新宿应该坐什么线？

Qù Xīnsù yīnggāi zuò shénme xiàn?

(3) 你要买什么颜色的笔？

Nǐ yào mǎi shénme yánsè de bǐ?

# 8

## ▸▸▸ 漢詩の朗読の練習（1）

**A** 発音された音を聞いて、適当な声調符号をつけよう。

Chunxiao　　　Meng　Haoran

1　Chun　mian　bu　jue　xiao,

2　chu　chu　wen　ti　niao.

3　Ye　lai　feng　yu　sheng,

4　hua　luo　zhi　duo　shao.

※声調符号をつける優先順位に気をつけよう。　a ＞ e または o ＞ i・u（iu、ui はうしろに）

**B** 暗唱してみよう。

春 晓　　　孟 浩然

1　春　眠　不　觉　晓，

2　处　处　闻　啼　鸟。

3　夜　来　风　雨　声，

4　花　落　知　多　少。

## 会話表現

### Dì bā kè　Qù kàn xióngmāo

（切符売り場で困っていそうな中国人旅行客をみかけて）

木村： Xūyào bāngmáng ma?

游客： Wǒmen xiǎng qù Shàngyě.

木村： Cóng zhèr dào Shàngyě,yí ge rén liǎngbǎi rìyuán. Liǎng ge rén dehuà, yígòng sìbǎi rìyuán.

游客： Néng yòng Wēixìn zhīfù ma?

木村： Bù néng, bǎ xiànjīn fàngjin zhèli, ránhòu àn zhèli, zài àn zhèli.

（切符とおつりが出てくる）

木村： Nǐmen qù Shàngyě Dòngwùyuán ma?

游客： Shì de, wǒmen dǎsuan qù kàn xióngmāo.

木村： Zhù nǐmen wán de kāixīn.

游客： Xièxie!

## 会話表現

# 第八课　去看熊猫

（切符売り場で困っていそうな中国人旅行客をみかけて）

| | | |
|---|---|---|
| 木村： | 需要帮忙吗？ | 何かお困りですか。 |
| 游客： | 我们想去上野。 | 上野に行きたいのですが。 |
| 木村： | 从这儿到上野，一个人两百日元。两个人的话，一共四百日元。 | ここから上野まで、１人200円です。2人でしたら、あわせて400円です。 |
| 游客： | 能用微信支付吗？ | WeChatペイは使えますか。 |
| 木村： | 不能，把现金放进这里，然后按这里，再按这里。 | 使えません、現金をここに入れて、ここを押して、それからここを押します。 |

（切符とおつりが出てくる）

| | | |
|---|---|---|
| 木村： | 你们去上野动物园吗？ | 上野動物園に行かれるのですか。 |
| 游客： | 是的，我们打算去看熊猫。 | はい、パンダを見にいこうと思ってます。 |
| 木村： | 祝你们玩得开心。 | どうぞ楽しんできてください。 |
| 游客： | 谢谢！ | ありがとう。 |

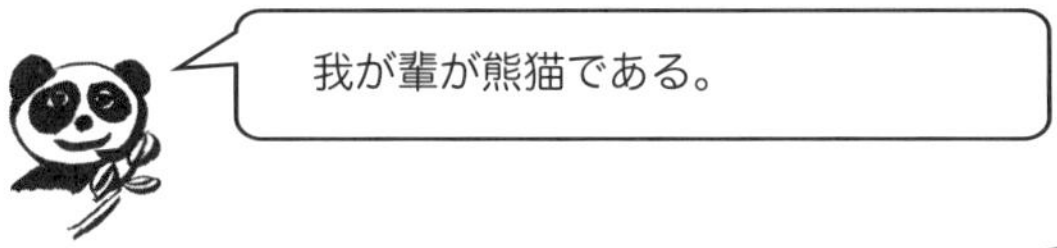


チェック！
https://hirogaru.net/

## 基本知識

‣‣‣ 前置詞を使った表現

① 从这儿到邮局怎么走?
Cóng zhèr dào yóujú zěnme zǒu?

② 从东京到京都远不远?
Cóng Dōngjīng dào Jīngdū yuǎn bu yuǎn?

③ 我把手机忘在家里了。
Wǒ bǎ shǒujī wàngzài jiā li le。

④ 妈妈把我的衣服洗了。
Māma bǎ wǒ de yīfu xǐ le.

⑤ 我在这儿等你。
Wǒ zài zhèr děng nǐ.

⑥ 我父亲在贸易公司工作。
Wǒ fùqin zài màoyì gōngsī gōngzuò.

## 語彙力up ▸▸▸ 駅名

A 东京 Dōngjīng

B 新宿 Xīnsù

C 银座 Yínzuò

D 武藏小金井 Wǔzàngxiǎojīnjǐng

E 国分寺 Guófēnsì

F 吉祥寺 Jíxiángsì

G 羽田机场 Yǔtián Jīchǎng

H 成田机场 Chéngtián Jīchǎng

### ▸▸▸ 観光スポット

A 东京塔 Dōngjīngtǎ

B 东京晴空塔 Dōngjīng Qíngkōngtǎ

C 阳光 60 Yángguāng Liùshí

D 迪士尼乐园 Díshìní Lèyuán

E 富士山 Fùshìshān

F 雷门 Léimén

G 皇居 Huángjū

H 彩虹大桥 Cǎihóng Dàqiáo

## 練習

››› 次の質問に中国語で答えてみよう。

(1) 你在哪儿上学？

Nǐ zài nǎr shàngxué?

(2) 从你家到学校远不远？

Cóng nǐ jiā dào xuéxiào yuǎn bu yuǎn?

(3) 这周末你打算去哪儿玩儿？

Zhè zhōumò nǐ dǎsuan qù nǎr wánr?

# 9 漢詩の朗読の練習（2）

**A** 発音された音を聞いて、適当な声調符号をつけよう。

Jing ye si　　　　Li Bai

1 Chuang qian ming yue guang,

2 yi shi di shang shuang.

3 Ju tou wang ming yue,

4 di tou si gu xiang.

※声調符号をつける優先順位に気をつけよう。 a > e または o > i・u（iu、ui はうしろに）

**B** 暗唱してみよう。

静 夜 思　　　　李 白

1 床 前 明 月 光，

2 疑 是 地 上 霜。

3 举 头 望 明 月，

4 低 头 思 故 乡。

## 会話表現

### Dì jiǔ kè　Mǎi kǒuhóng

店员：Nín zài zhǎo shénme?

范：Wǒ zài zhǎo kǒuhóng.

店员：Qǐng gēn wǒ lái.

范：Hǎo de.

（カウンターに到着して）

店员：Zhèli shì kǒuhóng zhuāngui.

范：Wǒ xiǎng sòng péngyou, nǎ yì zhǒng bǐjiào hǎo ne?

店员：Zhè yì zhǒng zěnmeyàng?　Hěn shòu huānyíng.　Wǔ qiān rìyuán yì zhī.

（しばらく見て）

范：Ǹg, tǐng hǎo de. Néng bu néng piányi diǎnr?

店员：Bù hǎo yìsi, wǒmen diàn bù jiǎngjià.

范：Nà hǎo ba……, gěi wǒ sān zhī ba.

店员：Xièxie nín.

# 会話表現

## 第九课　买口红

| | | |
|---|---|---|
| 店员： | 您在找什么？ | 何をお探しですか。 |
| 范： | 我在找口红。 | 口紅を探しています。 |
| 店员： | 请跟我来。 | ご案内します。 |
| 范： | 好的。 | はい。 |
| | （カウンターに到着して） | |
| 店员： | 这里是口红专柜。 | こちらが口紅売り場です。 |
| 范： | 我想送朋友，哪一种比较好呢？ | 友達にプレゼントしたいのですが、どんなものがいいですか。 |
| 店员： | 这一种怎么样？很受欢迎。五千日元一支。 | こちらはいかがでしょうか。とても人気です。おひとつ５千円になります。 |
| | （しばらく見て） | |
| 范： | 嗯，挺好的。能不能便宜点儿？ | うん､いいですね。お安くなりますか。 |
| 店员： | 不好意思，我们店不讲价。 | 申し訳ございません、当店ではお値引きはできません。 |
| 范： | 那好吧……，给我三支吧。 | それなら仕方ないですね……。３つください。 |
| 店员： | 谢谢您。 | ありがとうございます。 |

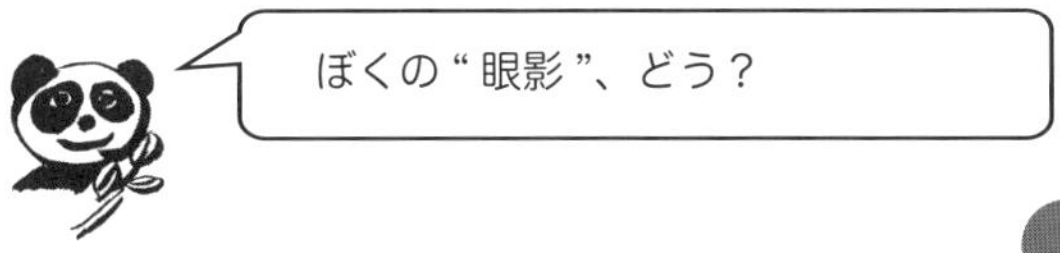


チェック！
https://hirogaru.net/

## 基本知識 ▸▸▸ 外来語

〔音訳〕

| | |
|---|---|
| 沙发 | shāfā |
| 巧克力 | qiǎokèlì |
| 麦当劳 | Màidāngláo |
| 肯德基 | Kěndéjī |
| 模特儿 | mótèr |

〔意訳〕

| | |
|---|---|
| 超市 | chāoshì |
| 快餐 | kuàicān |
| 连锁店 | liánsuǒdiàn |
| 软件 | ruǎnjiàn |
| 热狗 | règǒu |

〔音訳＋意訳〕

| | |
|---|---|
| 可口可乐 | Kěkǒu Kělè |
| 米老鼠 | Mǐlǎoshǔ |
| 苹果派 | píngguǒpài |
| 蜡笔小新 | Làbǐ Xiǎo Xīn |
| 因特网 | yīntèwǎng |

〔音訳＋語〕

| | |
|---|---|
| 芭蕾舞 | bālěiwǔ |
| 摩托车 | mótuōchē |
| 汉堡包 | hànbǎobāo |
| 保龄球 | bǎolíngqiú |
| 桑拿浴 | sāngnáyù |

▸▸▸ ブランド

| | | |
|---|---|---|
| ① | 苹果 | Píngguǒ |
| ② | 谷歌 | Gǔgē |
| ③ | 微软 | Wēiruǎn |
| ④ | 亚马逊 | Yàmǎxùn |
| ⑤ | 华为 | Huáwéi |
| ⑥ | 联想 | Liánxiǎng |

## 語彙力up ▸▸▸ 化粧品

| | | |
|---|---|---|
| A | 化妆水 | huàzhuāngshuǐ |
| B | 润肤乳 | rùnfūrǔ |
| C | 洗面奶 | xǐmiànnǎi |
| D | 卸妆油 | xièzhuāngyóu |
| E | 粉底液 | fěndǐyè |
| F | 粉饼 | fěnbǐng |
| G | 眼影 | yǎnyǐng |
| H | 睫毛膏 | jiémáogāo |
| I | 眉笔 | méibǐ |

## 練習

››› 次の質問に中国語で答えてみよう。

(1) 你用的电脑是什么牌子的？

Nǐ yòng de diànnǎo shì shénme páizi de?

(2) 你的好朋友过生日，你想送什么礼物？

Nǐ de hǎo péngyou guò shēngrì, nǐ xiǎng sòng shénme lǐwù?

(3) 你喜欢漫画吗？喜欢什么漫画？

Nǐ xǐhuan mànhuà ma? Xǐhuan shénme mànhuà?

# 10 ▸▸▸ 漢詩の朗読の練習（3）

**A** 発音された音を聞いて、適当な声調符号をつけよう。

Feng qiao ye bo　　　Zhang Ji

1 Yue luo wu ti shuang man tian,

2 Jiang feng yu huo dui chou mian.

3 Gu su cheng wai Han shan si ,

4 ye ban zhong sheng dao ke chuan .

※声調符号をつける優先順位に気をつけよう。　a > e または o > i・u（iu、ui はうしろに）

**B** 暗唱してみよう。

枫桥夜泊　　　张继

1 月落乌啼霜满天，

2 江枫渔火对愁眠。

3 姑苏城外寒山寺，

4 夜半钟声到客船。

## 会話表現

### Dì shí kè　Huì yìdiǎnr

（美容院で困っている中国人と美容師をみて）

木村：Xūyào bāngmáng ma?

旅客：Nǐ huì shuō Zhōngwén a?

木村：Huì yìdiǎnr.

旅客：Tài hǎo le!  Qǐng bāng wǒ fānyì yíxià, hǎo ma?

木村：Méi wèntí.  Nǐ xiǎngyào shénme yàng de fàxíng?

旅客：Shénme yàng de fàxíng shìhé wǒ ne?

（ヘアカタログを見せながら）

木村：Nǐ kàn yíxià, zhège zěnmeyàng?

旅客：Búcuò, wǒ xǐhuan zhège.

木村：Yídìng hěn shìhé nǐ.

## 会話表現

# 第十课　会一点儿

（美容院で困っている中国人と美容師をみて）

| | | |
|---|---|---|
| 木村： | 需要帮忙吗? | 何かお困りですか。 |
| 旅客： | 你会说中文啊? | 中国語が話せるんですか。 |
| 木村： | 会一点儿。 | 少し。 |
| 旅客： | 太好了！请帮我翻译一下，好吗？ | それはよかった。ちょっと通訳してくれませんか。 |
| 木村： | 没问题。你想要什么样的发型? | いいですよ。どんな髪型にしたいんですか。 |
| 旅客： | 什么样的发型适合我呢? | どんな髪型が私に合うかしら。 |
| | （ヘアカタログを見せながら） | |
| 木村： | 你看一下，这个怎么样? | ほら、これはどうですか。 |
| 旅客： | 不错，我喜欢这个。 | いいですね、私の好みです。 |
| 木村： | 一定很适合你。 | きっと似合うと思いますよ。 |

辛苦了！ 继续努力学习！

チェック！
https://hirogaru.net/

## 基本知識 ▸▸▸ 中国の祝祭日

| | |
|---|---|
| 元旦 (1/1) | Yuándàn |
| 春节 ( 农历 1/1) | Chūnjié |
| 元宵节 ( 农历 1/15) | Yuánxiāo Jié |
| 情人节 (2/14) | Qíngrén Jié |
| 三八妇女节 (3/8) | Sān-Bā Fùnǚ Jié |
| 清明节 (4/5 前后 ) | Qīngmíng Jié |
| 劳动节 (5/1) | Láodòng Jié |
| 端午节 ( 农历 5/5) | Duānwǔ Jié |
| 母亲节 (5 月第二周日 ) | Mǔqīn Jié |
| 六一儿童节 (6/1) | Liù-Yī Értóng Jié |
| 父亲节 (6 月第三周日 ) | Fùqin Jié |
| 七夕节 ( 农历 7/7) | Qīxī Jié |
| 中秋节 ( 农历 8/15) | Zhōngqiū Jié |
| 教师节 (9/10) | Jiàoshī Jié |
| 国庆节 (10/1) | Guóqìng Jié |
| 圣诞节 (12/25) | Shèngdàn Jié |

### ▸▸▸ 干支と動物

| | | | | | |
|---|---|---|---|---|---|
| 子《zǐ》 | 鼠《shǔ》 | 辰《chén》 | 龙《lóng》 | 申《shēn》 | 猴《hóu》 |
| 丑《chǒu》 | 牛《niú》 | 巳《sì》 | 蛇《shé》 | 酉《yǒu》 | 鸡《jī》 |
| 寅《yín》 | 虎《hǔ》 | 午《wǔ》 | 马《mǎ》 | 戌《xū》 | 狗《gǒu》 |
| 卯《mǎo》 | 兔《tù》 | 未《wèi》 | 羊《yáng》 | 亥《hài》 | 猪《zhū》 |

## 語彙力up ▸▸▸ 職業

| | | |
|---|---|---|
| A | 医生 | yīshēng |
| B | 护士 | hùshi |
| C | 律师 | lǜshī |
| D | 教师 | jiàoshī |
| E | 厨师 | chúshī |
| F | 警察 | jǐngchá |
| G | 播音员 | bōyīnyuán |
| H | 公务员 | gōngwùyuán |

## 練習

▸▸▸ 次の質問に中国語で答えてみよう。

(1) 你属什么？

Nǐ shǔ shénme?

(2) 你觉得什么工作适合你自己？

Nǐ juéde shénme gōngzuò shìhé nǐ zìjǐ？

(3) 元宵节要吃什么？清明节呢？端午节呢？中秋节呢？

Yuánxiāo Jié yào chī shénme? Qīngmíng Jié ne? Duānwǔ Jié ne? Zhōngqiū Jié ne?

著 者 紹 介

木村　守 ( Mùcūn Shǒu )　● 東京学芸大学 教授
范　文玲 ( Fàn Wénlíng )　● 東京学芸大学 准教授

編 集 協 力

盧　　尤 ( Lú Yóu )　● 東京学芸大学 講師
鄭　剣華 ( Zhèng Jiànhuá )　● 東京学芸大学 講師



中国語初級テキスト『ひろがる中国語』

2018 年 4 月　1 日　初版発行
2021 年 3 月 31 日　改訂版第 1 刷発行
2024 年 4 月　1 日　改訂版第 4 刷発行

発行者／佐藤和幸
発行所／（株）白帝社
〒 171-0014 豊島区池袋 2-65-1
電話 03-3986-3271　FAX 03-3986-3272
https://www.hakuteisha.co.jp